Oğlum Michael Scott Wilson'a
– K. W.

Dylan ve Jacob'a
– J. C.

PEARSON

Türkçe yayın hakları © Pearson Eğitim Çözümleri Tic. Ltd. Şti. Türkiye, 2015
Barbaros Bulvarı No: 149 Dr. Orhan Birman İş Merkezi Kat: 3
Gayrettepe 34349 İstanbul-Türkiye Tel: 0212 288 69 41
iletisim@pearson.com.tr
www.pearson.com.tr

Özgün Adı: Bear Says Thanks
Simon & Schuster Books
An imprint of Simon & Schuster Children's Publishing Division
1230 Avenue of the Americas, New York, New York 10020

Metin © 2012 Karma Wilson
Resimler © 2012 Jane Chapman
Çeviri: Melike Hendek
Çin'de basılmıştır.

1. Baskı: 2015, 2. Baskı: 2016
ISBN: 978-605-4691-30-2
Sertifika No: 16372

# Tombik Ayı Teşekkür Ediyor

Karma Wilson

Resimleyen: Jane Chapman

Çeviri: Melike Hendek

PEARSON

Rüzgârlı bir sonbahar günü,
Mağarasında tek başınaydı Tombik Ayı
çok
çok
çok sıkılıyordu bugün canı!
Keşke arkadaşları yanında olsaydı...

Birden aklına bir fikir geldi!
Büyük bir ziyafet düzenleyecek,
Bütün arkadaşlarını davet edecekti.

Hemen başlamalıydı hazırlıklara
Koştu baktı yiyecek dolabına
Gözlerine inanamadı
Dolap tamtakırdı!

Çok üzülmüştü Tombik Ayı
Düşünüyordu ne yapacağını.
Tam o sırada Fare girdi mağaraya,
Elinde lezzetli mi lezzetli bir turtayla

"Teşekkür ederim!"
dedi Tombik Ayı mutlulukla.

Tombik Ayı düşünürken “ne şanslıyım” diye...

… birden canı çok sıkıldı yine
"Ama ben hiçbir şey hazırlayamadım ki," dedi
üzüntüyle…

O sırada, Tavşan göründü kapıda
“Bana da yer var mı aranızda?” dedi heyecanla
Lezzetli kekler getirmişti onlara

Tavşan hoplayarak girdi mağaradan içeri
uzattı Tombik Ayı'ya elindeki sepeti.

"Teşekkür ederim!"

dedi Tombik Ayı mutlulukla.

Tavşan sevinçle kapıyı gösterdi,
“Bakın kim geliyor!” dedi.

Elinde oltasıyla
Porsuk göründü kapıda
“Merhaba,” dedi onlara,
“Bakın neler getirdim yanımda!”

Görünce oltaya takılı balıkları
Çok sevindi Tombik Ayı
Porsuk ne çok balık tutmuştu
Herkes çok mutlu olmuştu

"Teşekkür ederiz!"
dedi Tombik Ayı neşeyle.

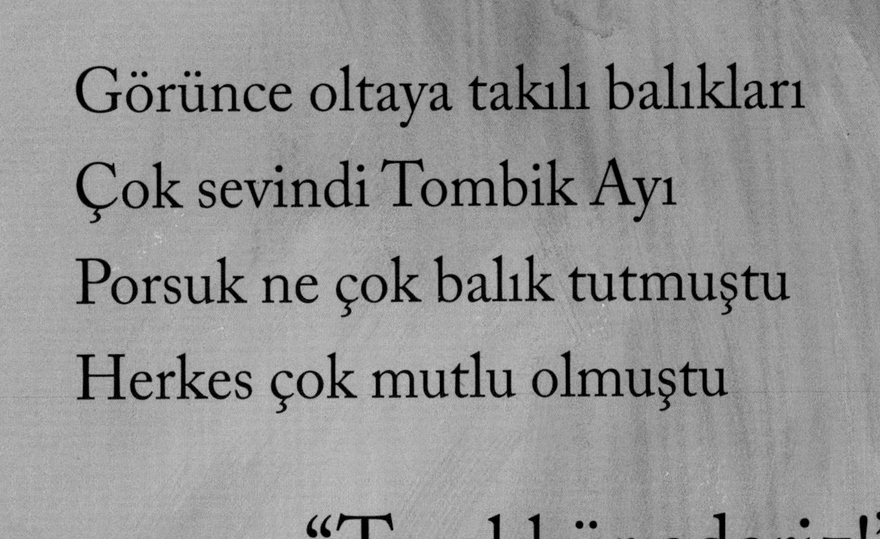

Sincap ile Köstebek bir tünel kazdılar,
Yeraltından mağaraya ulaştılar.
“Taze fındıklar getirdik size,
Umarız geç kalmadık partiye!”

Duyunca pırr pırr kanat seslerini
Mağaranın kapısına çevirdiler gözlerini
Baykuş, Çalıkuşu ve Karga
Gelmişti arkadaşlarının yanına.

"Bilin bakalım ne getirdik size?
Tatlı armutlar ve taptaze otlar!"

“Bir dakika!”

dedi Tombik Ayı telaşla.

Birden Tombik Ayı'nın yüzü asılmıştı.
Canı çok ama çok sıkılmıştı...

Boş dolabı gösterdi üzüntüyle
“Çok teşekkür ederim hepinize
Ama ben hiçbir şey hazırlayamadım size...”

Yavaşça fısıldadı Fare:
"Tombik Ayı lütfen üzülme,
Sen bir şey hazırlamasan bile
Hikâyelerin yeter bize..."

Çok şanslıydı Tombik Ayı
Ne iyi arkadaşları vardı
Birden sevinçle yüzü aydınlandı

"Teşekkür ederim!"

dedi neşeyle.

Köstebek pişirdi balıkları
Çalıkuşu demledi çayı
Sincap, Tavşan ve Karga
Başladılar sofrayı hazırlamaya

Tombik Ayı'nın mağarasında
Gelmişti eski dostlar bir araya

Keyifle gülüşüp konuştular
Birbirlerine hikâyeler anlattılar

Çok mutluydu hepsi
Arkadaş olmak
ne güzel şeydi!